चिरंजीव नीलिमा की

चौथी वर्षगाँठ

अथवा पाँचवें जन्मदिन पर

नीलिमा बच्चन

श्वेता बच्चन

अभिषेक बच्चन

नम्रता बच्चन

नयना बच्चन

और पिंकी-आशु को,

दादा जी के

आशीष प्यार के साथ

–हरिवंशराय बच्चन

मूल्य : ₹ 60.00 | Price : ₹ 60.00

ISBN : 978-93-5064-136-1 | ISBN : 978-93-5064-136-1

संस्करण : 2013 | Edition : 2013

नीली चिड़िया (कविताएं) | NEELI CHIDIYA (Poems)

© : हरिवंशराय बच्चन | © : Harivanshrai Bachchan

चित्रण : अनवर हुसैन | Illustration : Anwar Hussain

राजपाल एण्ड सन्ज़ | Rajpal & Sons

1590, मदरसा रोड, कश्मीरी गेट | 1590, Madarsa Road, Kashmere Gate

दिल्ली-110006 | Delhi-110006

ईमेल: sales@rajpalpublishing.com | email: sales@rajpalpublishing.com

www.rajpalpublishing.com | www.rajpalpublishing.com

बगुलों की पाँत

बगुलों की पाँत ! बगुलों की पाँत !

एक, दो, तीन, चार, पाँच, छह, सात...

सातों पर फड़काते साथ, सातों उड़ते जाते साथ !

सातों बनाते एक लकीर-- आसमान में छूटा तीर।

तीर कहाँ को जाएगा ? देखें, कौन बताएगा !

बगुलों की पाँत ! बगुलों की पाँत

एक-दो-तीन-चार-पाँच-छह-सात !

नीली चिड़िया

नीले आसमान से उतरी
नीली एक निराली चिड़िया—
गाती उड़नेवाली चिड़िया,
उड़ती गानेवाली चिड़िया।

इस फुनगी से उस फुनगी पर
उड़कर जानेवाली चिड़िया,
इन पत्तों में, उन पत्तों में
छिपकर गानेवाली चिड़िया।

पर फड़काकर नीचे आकर
दाना खानेवाली चिड़िया,
दाना खाकर पर फड़काकर
झट उड़ जानेवाली चिड़िया।

इस डाली से उस डाली पर
उड़-उड़ जानेवाली चिड़िया,
लाख बुलाऊँ लेकिन मेरे
पास न आनेवाली चिड़िया।

नीले आसमान से उतरी
नीली एक निराली चिड़िया—
गाती उड़नेवाली चिड़िया
उड़ती गानेवाली चिड़िया

बगुले और मछलियाँ

बगुलों ने ऊपर से देखा
नीचे फैला छिछला पानी,
उस पानी में कई मछलियाँ
तिरती-फिरती थीं मनमानी।

सातों अपने पर फड़काते
उस पानी पर उतर पड़े,
अपनी लम्बी-लम्बी टाँगों
पर सातों हो गए खड़े।

खड़े हो गए सातों बगुले
पानी बीच लगाकर ध्यान,
कौन खड़ा है घात लगाए
नहीं मछलियाँ पाईं जान।

तिरती-फिरती हुई मछलियाँ
ज्योंही पहुँचीं उनके पास,
उन सातों ने सात मछलियाँ
अपनी चोंचों में लीं फाँस।

पर फड़काकर ऊपर उठकर
उड़े बनाते एक लकीर,
सातों बगुले ऐसे जैसे
आसमान में छूटा तीर।

मोर

तुमने मोर कभी देखा है
पंछी बड़ा रँगीला है,
कहीं, कहीं, कत्थई, बदन से
बाकी नीला-नीला है।

उसके सिर पर कलँगी होती
होती पूँछ घनी, भारी,
गोली फैला जिससे नाचने
की करता वह तैयारी।

आसमान में बादल छाते
तब वह नाचा करता है,
पंजों में जो तेज़ी होती
साँप भी उससे डरता है।

मोर नहीं उड़ पाता ज्यादा
बैठा रहता पेड़ों पर,
बोला करता बिल्ले जैसा
ज़ोर-ज़ोर से म्याऊँ कर।

रेल

आओ हम सब खेलें खेल
एक दूसरे के पीछे हो
लंबी एक बनाएँ रेल।

जो है सबसे मोटा-काला
वही बनेगा इंजनवाला;
सबसे आगे जाएगा,
सबको वही चलाएगा

एक दूसरे के पीछे हो
डिब्बे बाकी बन जाएँ,
चलें एक सीधी लाइन में
झुकें नहीं दाएँ, बाएँ।

सबसे छोटा सबसे पीछे
गार्ड बनाया जाएगा,
हरी चलाने को, रुकने को
झंडी लाल दिखाएगा

जब इंजनवाला सीटी दे
सब को पाँव बढ़ाना है,
सबको अपने मुँह से 'छुक-छुक
छुक-छुक' करते जाना है।

चमगादड़

चूहे-सा होता चमगादड़
लगे पीठ से होते डैने,
चोंच न होती उसके मुँह में
दाँत बड़े होते हैं पैने।

टाँगों में कटिया-सी होती
अटका जिन्हें लटक वह जाता,
उड़ते-उड़ते, उड़ते कीड़ों
और मकोड़ों को वह खाता।

उसके डैने ऐसे होते
जैसे आधा छोटा छाता,
उसकी टाँगें ऐसी होतीं
जिन पर बैठ नहीं वह पाता।

रात अँधेरी जब कट जाती,
जब उजियाला सब पर छाता,
किसी अँधेरी जगह लटक कर
उलटा चमगादड़ सो जाता।

गिलहरी का घर

एक गिलहरी एक पेड़ पर
बना रही है अपना घर,
देख-भालकर उसने पाया
खाली है उसका कोटर।

कभी इधर से, कभी उधर से
कुदक-फुदक घर-घर जाती,
चिथड़ा-गुदड़ा, सुतली, तागा
ले जाती जो कुछ पाती।

ले जाती वह मुँह में दाबे
कोटर में रख-रख आती,
देख बड़ा सामान इकट्ठा
किलक-किलककर वह गाती।

चिथड़े-गुदड़े, सुतली, धागे –
सब को अन्दर फैलाकर,
काट कुतरकर एक बराबर
एक बनाएगी बिस्तर।

फिर जब उसके बच्चे होंगे
उस पर उन्हें सुलाएगी,
और उन्हीं के साथ लेटकर
लोरी उन्हें सुनाएगी।

दादी जी की चिड़ियाँ

रोज़ सवेरे उठकर दादी
हैं छितरातीं दानों के कन,
दानों के कन छितराने पर
कर देतीं घंटी से टन-टन...

घंटी की टन-टन सुनकर के
पहले काला कौआ आता,
काँव-काँव कर ज़ोर-ज़ोर से
सब चिड़ियों को न्योत बुलाता।

तीन-चार गोरैया आतीं
पाँच-सात आते हैं तोते,
और कबूतर के दो जोड़े
जिनके पर चितकबरे होते।

पीली-आँख किलहँटा आता
तीतर आता, तितरी आती,
भूरे पर की सात बहिनियाँ
जो कच-कचकर शोर मचातीं।

रह-रह इधर-उधर तक-तक कर
सब पंछी दाना खाते हैं,
जहाँ किसी की आहट पाई
झट सब-के-सब उड़ जाते हैं।

सब से पहले

आज उठा मैं सबसे पहले।

सबसे पहले आज सुनूँगा,

हवा सवेरे की चलने पर,

हिल, पत्तों का करना 'हर-हर'

देखूँगा, पूरब में फैले बादल पीले, लाल, सुनहले।

आज उठा मैं सबसे पहले।

सबसे पहले आज सुनूँगा,

चिड़िया का डैने फड़काकर,

चहक-चहककर उड़ना 'फर-फर'

देखूँगा, पूरब में फैले बादल पीले, लाल, सुनहले।

आज उठा मैं सबसे पहले।

सबसे पहले आज चुनूँगा,

पौधे-पौधे की डाली पर,

फूल खिले जो सुन्दर-सुन्दर

देखूँगा, पूरब में फैले बादल पीले, लाल, सुनहले।

आज उठा मैं सबसे पहले।

सबसे कहता आज फिरूँगा,

कैसे पहला पत्ता डोला,

कैसे पहला पंछी बोला,

कैसे कलियों ने मुँह खोला,

कैसे पूरब ने फैलाए बादल पीले, लाल, सुनहले।

आज उठा मैं सबसे पहले।

कोयल

पात पुराने जब झड़ जाते
निकल नए पत्ते जब आते
हरी-भरी डाली के ऊपर
बैठी कोयल गाती है—
कूऊ-कूऊ-कूऊ-कूऊ

कोयल तन की काली है
पर मन की मतवाली है
हरे-भरे पत्तों में छिपकर
मीठे बोल सुनाती है—
कूऊ-कूऊ-कूऊ-कूऊ

इस फुनगी से उस फुनगी
तेज़ी से उड़ जाती फर-फर
नकल करो उसकी बोली व
तो वह सुनकर अपनी
फिर-फिर से दुहराती है
कूऊ-कूऊ-कूऊ-कू